El matrimonio es una promesa de amor

El matrimonio es una promesa de amor

Una antología de poesías
editada por Susan Polis Schutz

Artes Monte Azul™
SPS Studios, Inc., Boulder, Colorado

Número de la tarjeta de catálogo de la Biblioteca del Congreso: 95-37574
ISBN: 0-88396-415-5

Los RECONOCIMIENTOS aparecen en la página 62.

Algunas marcas comerciales son usadas por licencia.
Elaborado en los Estados Unidos de América
Cuarta Impresión en Español: Octubre de 2000

 Este libro se imprimió en papel reciclado.

Datos de publicación del sistema de catálogo de la Biblioteca del Congreso

Marriage Is a Promise of Love. Spanish.
    El matrimonio es una promesa de amor : una antología de poesías /
editada por Susan Polis Schutz.
    p. cm.
    ISBN 0-88396-415-5
    1. Marriage—Poetry—Translations into Spanish.
    2. Love—Poetry—Translations into Spanish. I. Schutz, Susan Polis. II. Title.
PN6110.M37M37 1995
811'.54080354—dc20

                                                      95-37574
                                                      CIP

SPS Studios, Inc.
P.O. Box 4549, Boulder, Colorado 80306, EE.UU.

INDICE

Los diez secretos
de un matrimonio feliz

—Amar a alguien maravilloso. (Como eres tú.)

—Hablar abiertamente. (Tratamos, y mejoramos cada día.)

—Mostrar sumo interés por la vida del otro. (Ser sinceros, honestos y sensibles. Mientras más íntima se vuelve nuestra unión, más confianza tengo en mis fuerzas.)

—Sentirse muy feliz. (Y traer felicidad a la unión, los dos.)

—Soñar juntos. (Uno de mis sueños ya se hizo realidad al encontrarte.)

—Siempre estar pronto a socorrer al otro. (Siempre.)

—No hacer caso a los pequeños defectos del otro. (Pero adorar sus muchas cualidades.)

—No olvidar que después de la tempestad viene la calma. (Yo no lo olvidaré mientras estés conmigo.)

—Siempre compartir todo. (Amigos, familiares, sueños y anhelos, que forman el tejido de la vida.)

—Siempre mostrar cariño. ("Siempre" es mucho tiempo, pero ojalá nuestra unión perdure para "siempre" ... ojalá nos amemos,
    más felices, alegres y contentos
    que todos los enamorados de la tierra.)

— Chris Gallatin

El matrimonio une a dos personas en un círculo de amor

Al casarse, los novios se dedican a vivir, a reconocer y apreciar las cualidades del otro y a ofrecer lo mejor de sí mismo. Al casarse, comparten un lazo como ningún otro y la suerte de crecer juntos. Es una unión del cuerpo y del alma, que ellos prometen guardar hasta el final.

Al casarse, un círculo de amor alumbra todos los días de su vida. Es la unión más significativa. Los esposos son, el uno para el otro, el mejor amigo, confidente, amante, guía, y a veces hasta crítico. Cuando el uno tiene algún pesar o se enferma, ocurre que el otro le muestra la ternura del amor de los padres por sus niños.

Al casarse, cada faceta de su vida se hace más profunda y más rica. La felicidad es más intensa; las memorias más vivas; las promesas más hondas; hasta la ira se hace más ardiente, y desaparece más de prisa.

Al casarse, uno comprende y perdona los errores que no se pueden evitar. Una nueva vida brota, nuevas experiencias, y nuevas maneras de expresar su amor a lo largo de las temporadas de la vida.

Cuando una mujer y un hombre se prometen amarse y cuidarse en el matrimonio, crean un lazo único, sin par, que los hace sentirse más unidos de lo que las palabras pueden expresar. El matrimonio es una esperanza, una promesa, que los esposos llevan en su alma y que cumplen cada día de su vida.

— Edmund O'Neill

El matrimonio es un viaje mágico para dos

Al casarse,
caminen juntos,
hombro a hombro,
cuánto más puedan.
No olviden abrazarse
cuando haga frío.
Si el lugar se torna estrecho,
concédanse espacio
para respirar.
Cuando el sendero es difícil,
uno de los dos ha de guiar.
Siempre estén listos a seguir;
nunca teman tomar las decisiones.
Confíen en el otro y en sí mismos
pues el matrimonio es un viaje
que lleva al verdadero amor.

— Mary E. Buddingh

El matrimonio es amor para toda la vida

El matrimonio une a los esposos
con un amor siempre presente.
El matrimonio significa compartir
los acontecimientos diarios de la vida.
Es la presencia del otro en el pensamiento
que alivia y da fuerza.
La felicidad no se consigue simplemente,
sino que hay que dedicarle tiempo
y devoción;
a menudo exige compromisos
y sacrificios,
a medida que los dos aprenden
a vivir en armonía.

En el matrimonio,
los detalles se tornan importantes.
Sin nunca olvidar de apreciar
    al otro
ni de darle la mano para sostenerlo.
El matrimonio es seguir las mismas reglas
y tener metas comunes en la vida.
Al casarse, se adquiere un amigo
verdadero de por vida,
alguien con quien reírse y soñar,
    o bien llorar.
Lo que mantiene un matrimonio
sólido es mostrar amor
cada momento, cada día, de todo corazón.

— Sherry Jill Shaw-Levine

Los dones
del matrimonio

Dicha
    en tu corazón,
    tu mente,
    tu alma.
Paz
    contigo mismo
    y con el universo.
Armonía.
Valor
    para sentir,
    para necesitar,
    para alcanzar.
Libertad
    para ser tú mismo,
    para enamorarte.
Amistad.
Sabiduría
    para aprender,
    para cambiar,
    para cesar.
Aceptación
    de la verdad
    y de tu belleza interior.
Madurez.
Placer
    en todo lo que ves,
    y tocas,
    y haces.
Felicidad
    contigo mismo
    y con el mundo.
Amor.

— Maureen Doan

El credo del matrimonio

El amor es la emoción más fuerte y plena.
Nos permite compartir esperanzas, deseos y vivencias,
nos permite compartir nuestra vida con alguien.
Nos permite ser nosotros mismos
      con alguien que siempre nos apoya,
nos permite expresar nuestros más íntimos sentimientos
      a alguien que nos comprende.
Nos permite sentir la ternura
      y el cariño que disipan soledades.
El amor nos permite sentir que nada falta
      en nuestra vida.
Pero el amor eterno se alcanza
sólo con entregarnos mutuamente y al amor mismo,
sólo con dedicarnos en cuerpo y alma, plenamente.
Hay que aceptarse y conocerse a sí mismo
si queremos que otra persona
nos acepte y nos comprenda.
Hay que ser honestos mutuamente y consigo mismo
y no disimular los sentimientos.
Hay que aceptar al otro sin tratar de cambiarlo.
Hay que sentirse libres para crecer,
      pero mantenerse siempre unidos
          sin tratar de vivir la vida del otro.
Hay que seguir los propios principios y valores
      sin dejarse arrastrar
          por el convencionalismo mundano.
Y para que el amor pueda ser eterno,
hay que creer que la mujer y el hombre son iguales,
      sin menoscabo de cualquiera de ellos.

Siempre debemos estar unidos en el corazón
    aunque no lo hagamos todo juntos.
Hay que sentir orgullo por el otro y por su amor
    sin avergonzarnos de mostrarlo.
Cada día que pasamos juntos ha de ser especial
    sin descuidar al otro y al amor.
Hay que dedicar tiempo cada día para hablar
    sin dejar que los quehaceres diarios nos ocupen tanto
    que el cansancio nos torne indiferentes.
Debemos comprender el estado de ánimo
    y lo que el otro siente
    y no herirnos a propósito,
    pero si un día nos desahogamos en presencia del otro,
    nos perdonará sin sentirse agraviado.
Debemos conservar una llama de pasión,
    huir de tediosas rutinas.
Debemos mantener la alegría y la emoción
    en nuestras vidas
    y no temer intentar cosas nuevas.
Siempre debemos cuidar nuestro amor y nuestro vínculo
    sin nunca olvidar cuán importantes son,
    ni cuán vacía la vida sería sin ellos.
El amor es la emoción más fuerte y plena
si nos dedicamos a cuidarlo.
El amor puede ser eterno si lo quieres
tanto como lo quiero yo.

— Susan Polis Schutz

Acuérdense siempre
de la fuerza del amor

El amor es la más asombrosa vivencia
que toca nuestras vidas.
Da forma y realidad al mundo
    en que queremos vivir.
Desde los primeros días de existencia
ya sabemos que el amor es la fuerza
que nos consuela y protege;
es el único sentimiento
que siempre estará presente
    para ayudarnos a vivir.
El amor es comprensión
    y seguridad, firme, sin cambiar;
nos permite olvidarnos de fingir
y sentirnos seguros.

Al unirse los dos
y prometerse amor mutuo,
acuérdense de las lecciones del amor
que siempre han conocido.
Dejen que el amor les consuele, sostenga
    y les dé coraje.
Dejen que el amor sea lo mejor de sus vidas;
estén seguros de que siempre
    aliviará las penas,
y transformará su mundo
    en un lugar feliz.

— Dena Dilaconi

El matrimonio
necesita tiempo y dedicación

Hay que dedicarse a hablar con gentileza;
recuerden que las palabras duras
hieren el espíritu.
Hay que dedicarse a ser sincero;
pues el secreto de la comprensión
es el diálogo abierto.
No teman expresar
    sus pensamientos,
y escuchen con cuidado.
Deben acordarse
que han escogido a su pareja
    para aprender y crecer juntos;
que cada uno tiene algo especial
que ofrecer.
Sepan enseñar
y aprender.

Busquen ocasiones para estar a solas
para que puedan explorar
    sus pensamientos íntimos
y compartirlos con el otro
    en el calor de su proximidad.
No se olviden estar agradecidos.
Han escogido su sendero juntos
y hay que dedicarse a hacerlo
    tan bello como lo anhelan.
Si quieren cambiar algo,
háganlo con dulzura.
Hay que dedicarse a mostrar su amor
pues cada uno necesita que lo amen.
El matrimonio
necesita tiempo y dedicación.

— Gayle Saunders

Ideales para guardar
en el matrimonio

Enamorarse una y otra vez...
   de la misma persona.
Ser su mejor amigo.
Compartir el viaje de la vida
   con toda la alegría de tu alma.
Ser mujer; ser hombre;
dar lo mejor
   que tienes para ofrecer en la unión
   singular con tu pareja.
Amar al otro lo suficiente como para
   dialogar abiertamente.
Ayudarle al otro en el sendero.
Decir "te quiero" y, al hacerlo,
   brindar el sentimiento más feliz
      que dos personas puedan infundir
      y expresar.

Este día ha de ser para los dos
   el recuerdo más maravilloso
   que siempre llevarán consigo
   en los días venideros.

— Carey Martin

Un credo para un matrimonio feliz

Siempre recuerden con cariño
el amor que les unió en un principio.
Estén agradecidos
por los rasgos únicos del otro,
pues son por ellos que se enamoraron
    y se unieron.
Dejen que su respeto mutuo
    se torne cada vez mayor,
pues del respeto viene la admiración,
sin la cual el lazo del amor
mengua.
Recuerden que, aun como pareja,
    los dos son individuos
con sus anhelos, sueños y temores,
que los hacen diversos.

Siempre mantengan el diálogo abierto
pues no importa cuánto se conozcan
    el uno al otro,
nadie tiene el talento de leer la mente
    del otro.
Aliéntense con mutuo apoyo
a fin de conseguir metas comunes,
y a fin de regalar
al otro una vida llena de felicidad,
    recuerdos gratos,
y de amor que, a través del tiempo,
crece y se fortalece
año tras año.
Al sentir tan gratas emociones
    el uno por el otro,
podrán hombro a hombro soportarlo todo,
y vivirán felices,
    juntos para siempre.

— Dale Tina Keller

El matrimonio es la unión de dos, que viven como uno

Al casarse, los novios
se toman de la mano y se tornan uno.
Aunque ya caminen
por el sendero de la vida
juntos, sin separarse,
recuerden que, aun así,
son individuos, con distintas
personalidades.
Regalen un amor sincero.
No traten de cambiar al otro;
las diferencias van a ayudarles
a sentirse unidos.
Siempre respeten y acepten
lo que el otro tiene que decir,
aun si les parece que está equivocado.
Recuerden siempre que son dos
individuos aparte.
Unidos en el matrimonio, vivirán
los mismos acontecimientos,
pero acaso con sentir diverso.
Cada uno tiene su propia fortaleza,
pero cuenta también con la del otro.
Dedíquense a gozar
del tiempo que comparten, y recuerden
que cada día representa un comienzo nuevo.

— Catherine Haukland

El amor será la salvación
en tiempos de angustia

El matrimonio es un vínculo
de paciencia, cariño
    y dedicación
que les hará cambiar
    de varios modos,
que tomará su fortaleza de la solidez
del lazo que los une, y pondrá
    a prueba sus debilidades.
Pero, no importa cuán grande es el amor,
acaso habrá momentos en los cuales
se sentirán desanimados con el otro.

En tal momento
    es importante no perder
de vista lo que en un principio
les hizo desear
    unirse
y comprender que el otro
    tiene derecho a vivir
su propia personalidad.
Es importante
reconocer en el fondo del alma
que el dar y recibir
la libertad, la compasión
    y la aceptación del ser querido
son los mejores dones que los dos
    pueden brindar.

— Wendy Choo

¿Qué es el matrimonio?

Es lo más bello que puede suceder entre dos seres que se aman.

El matrimonio es más que un esposo y su esposa. Es un puente que une a los dos con un amor que da significado y belleza a la vida. Es crecimiento; es mejorarse y expresar sus pensamientos con honestidad; quererse. Es el más profundo y tierno entendimiento. Es compartir el hoy y el mañana, en el que cada uno se torna más completo y más preciado de lo que fue cuando soltero. Un matrimonio es un hogar lleno de sueños, recuerdos y esperanzas. Trae una gratitud y un amor sin par.

Un matrimonio feliz es lo más bello que puede sucederle a cualquier persona.

— Collin McCarty

El matrimonio es
una vida entera de amor

El matrimonio es la unión
   de dos seres únicos;
es la fusión y el lazo
   entre dos amores;
la promesa que los dos se hacen
   por un fin común.
Es la unión
   del pensamiento de los dos,
   de sus emociones, rutinas y deseos.
Es aceptar
   lo bueno con lo malo;
   es comprender
      los motivos y el sentir del otro.
Pero, sobre todo, es compartir
   tolerancia y perdón,
      y aún mejor, después de una riña,
      reconciliarse.

El matrimonio es el vínculo
   de dos amantes;
   el principio de su herencia al mundo;
   los cimientos y la fortaleza
     de su familia;
   la pasión de sus creencias, acciones
     y valores;
y el amor que brindan a sus hijos
   y a sus nietos.

El matrimonio es el lazo entre
   los novios,
mientras que el amor
   los mantiene unidos para siempre.

— Tim Roemmich

Casarse es la promesa
más hermosa de la vida

Al casarse
los amantes toman
el voto más preciado
de amarse siempre.
Compartirán
faenas y placeres,
alegrías y tristezas,
metas y valores,
familia y amigos,
novedad y rutina.
Construirán una existencia
más firme, por
estar unidos,
y por andar
por el sendero de la vida juntos.
Al casarse
los amantes toman
el voto más preciado,
el de una pareja
que se ama
y se torna
uno
para siempre.

— Susan Polis Schutz

El matrimonio es un
homenaje al amor

Estar casado es una hermosa emoción;
los quehaceres diarios
se tornan placenteros y alegres.
Nos da muchas razones
para sonreír
y para decirle al mundo
que encontramos a alguien especial,
a alguien que nos quiere
y a quien queremos.
Al estar casado, el tiempo juntos
pasa muy de prisa
y las separaciones
nos parecen eternas.

Al estar casados,
forjamos una vida de recuerdos.
Es un sentimiento
en constante cambio,
en que cada faceta
tiene su propia magia.
La belleza del matrimonio es infinita.
Es la esencia de la vida
que todos anhelamos encontrar
y conservar,
que todos soñamos mantener
por siempre en el corazón.

— Deanna Beisser

Pensamientos para recordar
en el matrimonio

Siempre poder contar el uno con el otro.
Ayudar. Crear. Vivir a plenitud.
Alentarse. Compartir. Mostrar al otro
    cuán importante es, aun sin expresarlo.
Trabajar por fines comunes. Disfrutar.
Caminar de la mano por el sendero
    que conduce a los sueños.
Crear recuerdos hermosos, duraderos.
Construir un lazo que resista
    a las vicisitudes y tormentas
    que acaso encontrarán.
Hablar honestamente.
Llenar su hogar de risas, y hacer
    que sea como lo soñaron.

Comprender la dicha de estar
juntos... y saber
que el lazo que los une y el amor
    que los rodea ... durará por siempre.

— Collin McCarty

El matrimonio es la cumbre
de los sueños y del amor

Todos buscamos
a alguien especial
con quien podamos compartir la vida;
la media naranja
    que nos hará completos,
como dos notas que armonizan
en una bella canción,
o los colores que se juntan
en el arco iris.
Todos anhelamos
una vida
    de felicidad,
un arco iris después de la tormenta;
largos días de amor y vivir pleno,
de crecimiento y de dones,
de eventos compartidos y de amor,
en los que aprendemos de los infortunios
y disfrutamos de los éxitos.

El matrimonio es
    todo lo que el corazón anhela
y la fortaleza, el coraje y
la determinación de conseguirlo.
Las parejas casadas vigilan su amor
y protegen los sueños compartidos.
Hay que tener cautela para no herirlo,
pero vigilarlo para que no se escape.
Dejarlo crecer, pues si el amor crece
los dos van a crecer con él,
y sus días serán alegres y felices.

— Glenda Willm

El matrimonio es una promesa de amor

El matrimonio es un compromiso
     entre dos personas
que sienten que sus vidas
están entrelazadas, y siempre lo estarán.

El matrimonio es el cumplimiento
de un sueño y la convicción
de que la realidad se torna sueño.

El matrimonio es una promesa
de que el presente es el comienzo del futuro
que traerá amor, respeto, honestidad,
y confianza mutua, el cimiento
de una unión sólida.

El matrimonio es entendimiento
entre personas sabias,
     sensibles y afectuosas
que saben con firmeza que el amor
puede sobrevivir a las vicisitudes
y fortalecerse con el tiempo.

— Edith Schaffer Lederberg

Pensamientos de una mujer
sobre su esposo

Un esposo es el hombre querido que trae alegría y comparte momentos de dulzura con la dichosa mujer que es su esposa. Un esposo es el ser especial a quien ella ama con toda su alma.

Un esposo es el deseo de no separarse nunca. Es la respuesta a una de las preguntas más significativas que una puede hacer: es el hombre con el cual quieres pasar todos tus días... para siempre. No hay nadie como él. Nadie sabe hablar a tu corazón como él. Hay algo maravilloso en él, que alumbra tus días y cumple tus sueños. Es el único hombre en el mundo con quien quieres andar por el sendero de la vida. Con él tienes tus recuerdos más preciados. Con él, en la ternura de cada día, sigues creando gratos recuerdos. Y él es el hombre con quien quieres descubrir lo que la vida promete, cada día, para siempre.

Un esposo es un hombre especial, y quieres que sepa cuán maravilloso es para tí.
       Pues no hay nadie
             a quien puedas amar más.

— Laurel Atherton

La promesa de amor
de un hombre a su esposa

Alguien siempre estará contigo para amarte.

Alguien siempre estará emocionado
    al verte sonreír,
    al sentir la alegría de tu corazón.
Alguien desea estar contigo
    para cuidarte y atesorar
    cada momento que pasa a tu lado.

Alguien siempre pensará en ti
    con emoción
    y siempre estará agradecido
    de verte disfrutando de la vida.

Alguien tendrá siempre la certeza
    que vivir cerca de ti trae felicidad
    y que el mañana le promete alegrías
    que sólo tu presencia le regala.
Alguien siempre tratará de encontrar palabras
    para darte las gracias por llenar su vida,
    por hacer sus sueños realidad y regalarle
    los recuerdos más gratos.

Alguien siempre te amará.

    ...Y ese alguien
        será siempre tu esposo.

— Chris Gallatin

Un matrimonio duradero
se apoya en muchas cosas

Un lazo estrecho se apoya
 en la amistad.
Un lazo cariñoso se apoya
 en la comprensión y el compartir.
Un lazo amoroso se apoya
 en la generosidad y el saber
 aceptar con donaire y agradecimiento.
Un lazo íntimo se apoya
 en la honestidad y la sinceridad.
Un lazo afectuoso se apoya
 en la paciencia y la aceptación.
Un lazo poderoso se apoya
 no en promesas, sino más bien
 en confianza, respeto, lealtad
 y en perdón.
Un matrimonio duradero se apoya
 en todas estas cosas, aunadas
  por el amor.

— Michael C. Mack

El amor es la emoción
más pura en el matrimonio

El amor es
la emoción más fuerte
una pasión que lo abarca todo
una fuerza inmensa
una felicidad sin par.

El amor es
el cuidado que tienes de no herir al otro
no pretender cambiar
    al otro
no dominar
    al otro
no engañar
    al otro.

El amor es
entendimiento mutuo
escuchar
darse apoyo
y gozar de la vida.

El amor es
no buscar excusas para permanecer
sin cambio, sin mejora
    sin avance,
no buscar excusas para menguar
    las ambiciones
no buscar excusas para
    dar por sentado el cariño del otro.

El amor es
honestidad cabal
    para los dos,
buscar sueños y fines
comunes, y deberes
compartidos por igual.

Amar es un anhelo universal,
pero no se debe tomar
    a la ligera.
El amor es sentir la dulzura
    del cariño del otro.
El amor es
la razón de la vida.

— Susan Polis Schutz

49

El matrimonio significa
estar enamorado para siempre

El matrimonio es amor,
darse la mano en el sendero.
Es reírse juntos
de las bagatelas
y aprender a enfrentar lo importante
con cariño y honestidad.
En el matrimonio,
el amor es darle al otro confianza
durante las separaciones.
Es perdonar las decepciones
y las heridas,
por comprender que ocurren
en todas las uniones.
Es comprender que en este mundo inmenso
no hay nadie a quien amaras más
que a tu pareja.
Es hallar cosas nuevas
que disfruten juntos;
es avanzar en años hombro a hombro.
El matrimonio significa
estar enamorado para siempre.

— Chris Ardis

Al casarse,
los novios unen sus vidas en felicidad

Al casarse, los novios
lo comparten todo.
Se tornan uno.
Crean una unión de lealtad
   y confianza.
Se aceptan mutuamente sin fingir.
Se aman con todas sus cualidades y defectos.
Se ayudan mutuamente
   y se apoyan en momentos tristes.
El uno siente el dolor del otro.
Se hablan con sinceridad.
Hallan salida cuando tienen dudas.
Los dos dan fortaleza a su unión.
Juntos se tornan más maduros.
Aceptan todo reto que enfrentan.

A veces tienen miedo,
    pero siempre encuentran refugio en el otro.
Son uno,
pero guardan su identidad,
sus propias ideas y maneras
    de pensar.
Se aman y aprenden,
    comparten lágrimas y emociones.
Se dan la mano para sostenerse.
No son perfectos, y a veces yerran.
Hay toda una vida de felicidad para los novios
cuando se casan.

— Tracey Kuharski-Miller

El matrimonio significa
compartirlo todo en la vida

En el matrimonio
los enamorados
comparten añoranzas y objetivos,
sus puntos débiles y fuertes.
En el matrimonio
los enamorados
comparten regocijos y tristezas
y también los placeres más sublimes.
En el matrimonio
los enamorados
comparten emociones, sentimientos,
y también alegrías y dolores.

El matrimonio es
el lazo más hermoso
que se puede vivir
y el amor que sienten
como esposos
guarda su hermosura para siempre.

— Susan Polis Schutz

Ojalá su matrimonio sea bendito con una vida de felicidad

El matrimonio es la unión
   de dos enamorados –
la de dos corazones.
Crece con el cariño
   que los dos se ofrecen
y nunca se marchita,
sino que renace con la alegría
   de cada amanecer...
El matrimonio es amor.

Ojalá sean siempre benditos
   sus corazones
con el milagro de estar casados.

Ojalá puedan siempre
    hablar abiertamente,
confiar,
reírse juntos,
gozar de la vida,
y compartir momentos
de quietud
al atardecer.

Ojalá sean benditos
con una vida de felicidad.

— Jill Ryynanen

El matrimonio es la felicidad suprema

Al casarse, los novios se tornan uno,
aunque guarden intacta su identidad,
sus propias ideas y sus metas.
Al casarse, los novios
piensan en armonía.
Se aconsejan, comparten emociones,
con cariño y sinceridad.
Se muestran confianza mutua
y no pierden la fe
al pasar por los altibajos de la vida.
Se fortalecen con una sonrisa,
y comparten las lágrimas.
Cuando el uno está triste,
el abrazo del otro lo alienta
y lo ayuda a recuperar sus fuerzas.
La comunicación es todo.
Al estar unidos, aprenden cada día.
Aprenden a buscar el apoyo del otro
sin perder su entera libertad.
A veces deben darle al otro espacio
para ser sí mismo.
Se cuidan y protegen mutuamente;
forman una familia y un hogar.
Comienzan a soñar sobre el futuro
y maduran juntos.
Con la promesa que se han hecho y su amor
encuentran la felicidad.

— Michele Gallagher

En el matrimonio, el amor puede durar para siempre...

Es grato compartir tu amor
    con tu pareja;
y si lo has encontrado,
    dedícate a cuidarlo.
Es peligroso
    confiar en demasía. Debes
    guardarlo, protegerlo
      y acariciarlo.
El amor puede durar eternamente...
    si así lo quieres.
El amor no es duro, ni pone condiciones;
    es dulce, tierno y delicado.
Es misterioso, y te pide
    que no reveles su secreto. Es ciego,
    pero te hace ver la dicha
      que te da.

El amor se asemeja más a una flor
    que a un árbol;
    cosas malignas lo hieren con facilidad.
    Pero lo bueno aumenta su belleza
        y su fragancia, haciéndolo más grato
        que cualquier otra cosa que la vida
        te pueda ofrecer.

El amor exige ser tratado
    como la suma bendición; y como
    tu pequeño milagro fascinante
        que va a continuar cumpliéndose
        tanto como lo quieras.

— Barin Taylor

RECONOCIMIENTOS

Este libro está impreso en papel vergé de alta calidad, de 80 lbs, estampado en seco. Este papel ha sido producido especialmente para estar libre de ácido (pH neutral) y no contiene madera triturada ni pulpa no blanqueada. Cumple todos los requisitos de American National Standards Institute, Inc., lo que garantiza que este libro es duradero y podrá ser disfrutado por generaciones futuras.